Régine Boutégège
Susanna Longo

LA MOMIE
DU LOUVRE

Rédaction : Domitille Hatuel
Direction artistique et conception graphique : Nadia Maestri
Mise en page : Emilia Coari
Illustrations : Lorenzo Sartori

© 2003 Cideb

Tous les sites Internet signalés ont été vérifiés à la date de publication de ce livre. L'éditeur ne peut être considéré responsable d'éventuels changements intervenus successivement.
Nous conseillons vivement aux enseignants de vérifier à nouveau les sites avant de les utiliser en classe.

Vous trouverez sur le site blackcat-cideb.com (espace étudiants et enseignants) les liens et adresses Internet utiles pour compléter les dossiers et les projets abordés dans le livre.

Pour toute suggestion ou information la rédaction peut être contactée :
info@blackcat-cideb.com

CISQ CISQ CERT
TEXTBOOKS AND
TEACHING MATERIALS
The quality of the publisher's
design, production and sales processes has
been certified to the standard of
UNI EN ISO 9001

ISBN 978-88-530-0062-0 livre + CD

Imprimé en Italie par Litoprint, Genova

SOMMAIRE

Le texte est intégralement enregistré.

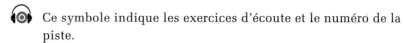 Ce symbole indique les exercices d'écoute et le numéro de la piste.

DELF Les exercices qui présentent cette mention préparent aux compétences requises pour l'examen.

CHAPITRE 1

UNE VISITE AU LOUVRE

Paris, le 18 septembre 2000

Bonjour, je m'appelle Guillaume Leclercq, j'ai quinze ans et demi. J'adore le ciné, la lecture, mais surtout l'égyptologie [1]. Pour la première fois de ma vie, j'écris un journal. Je ne sais pas à qui raconter cette étrange aventure. Voilà toute l'histoire...

« Allô ! C'est toi Paul ?

– Oui, qui est à l'appareil ?

– C'est moi Guillaume, tu viens avec moi au Louvre ? Il y a une nouvelle momie [2]. On va la voir ?

---

1. **l'égyptologie** : l'étude de l'Égypte ancienne.
2. **une momie** : un corps embaumé et entouré de bandelettes.

5

– Euh..., je ne sais pas. J'ai des devoirs [1]... Je travaille à une expérience de chimie.

– Allez [2] viens, aujourd'hui c'est gratuit.

– Bon d'accord, je viens.

– On se retrouve devant le musée à quatre heures ?

– Oui, à tout à l'heure.

Devant la pyramide du Louvre.

– Salut Paul !

– Salut Guillaume, on entre ?

– Oui, on va directement voir la momie ?

– Oui, bien sûr.

– Regarde Paul, la voilà. C'est chouette [3], il n'y a pas beaucoup de monde ! On peut la voir tranquillement. Incroyable, c'est absolument incroyable. Elle est aussi vieille que la momie de Toutankhamon, c'est le général Thoukanis. On raconte qu'elle porte malheur [4]...

– Tiens Guillaume, regarde, là, sur le sarcophage !...

– Quoi ? Je ne vois rien.

– Mais si, là ! Ce hiéroglyphe ! Je l'ai déjà vu, je le reconnais, tu te souviens ? Notre prof d'histoire nous a dit qu'il signifie...

– Mais oui, tu as raison, ce hiéroglyphe... cela veut dire : « une malédiction pèse sur vous ! »

---

1. **les devoirs** : les exercices à faire à la maison.
2. **allez** : du verbe aller, formule qui indique l'encouragement, l'invitation.
3. **c'est chouette** : expression qui marque l'enthousiasme, la satisfaction.
4. **elle porte malheur** : elle provoque des catastrophes.

Compréhension orale

DELF **1** **Écoutez l'enregistrement et cochez les bonnes réponses.**

1. Cette histoire est écrite à
- **a.** ☐ Bordeaux.
- **b.** ☐ Lyon.
- **c.** ☐ Paris.

2. Le jeune garçon s'appelle
- **a.** ☐ Guy.
- **b.** ☐ Guillaume.
- **c.** ☐ Jérôme.

3. Son ami s'appelle
- **a.** ☐ Paul.
- **b.** ☐ Jean-Paul.
- **c.** ☐ Popol.

4. Il ne veut pas venir
- **a.** ☐ parce qu'il travaille à une expérience de chimie.
- **b.** ☐ parce qu'il travaille à une expérience de souris.
- **c.** ☐ parce qu'il travaille à une expérience qui l'ennuie.

5. Ils se donnent rendez-vous
- **a.** ☐ au café.
- **b.** ☐ au musée.
- **c.** ☐ au ciné.

6. Ils vont voir la momie
- **a.** ☐ de Toutankhamon.
- **b.** ☐ de Toutatis.
- **c.** ☐ de Thoukanis.

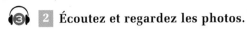 **2** Écoutez et regardez les photos.

Barrez celles où on n'entend pas le son [u].

Barrez celles où on n'entend pas le son [e].

3 Écoutez et complétez les mots suivants avec « u » ou « ou ».

a. m.....sée   b. avent.....re   c. n.....velle   d. lect.....re
e. auj.....rd'hui   f. absol.....ment   g. j.....rnal   h. t.....t

Grammaire

Les adjectifs numéraux cardinaux

Le dix-huit septembre deux mille.

- On met un trait d'union entre les éléments qui sont inférieurs à cent sauf quand ils sont unis par la conjonction **et** :
Soixante-neuf ; quatre-vingt-quinze.
Soixante et un ; soixante et onze.

- **Mille** est toujours invariable : *l'an deux **mille**.*

- **Quatre-vingts** et **cent** perdent le « s » s'ils sont suivis d'un autre adjectif numéral :
*Cet homme a quatre-**vingts** ans, mais celui-ci en a quatre-**vingt**-deux.*
*Cette momie a deux mille neuf **cents** ans, mais celle-ci en a deux mille neuf **cent** trois.*

1 Le tableau suivant précise, pour le département des Antiquités égyptiennes, quelles collections sont ouvertes chaque jour. Les collections fermées au public sont «en gris».

Département	Collections	Jours d'ouverture du musée					
		lundi	mercredi	jeudi	vendredi	samedi	dimanche
Antiquités égyptiennes	Circuit chronologique	salles 20 à 30				salles 20 à 26	
	Circuit thématique				salles 2 à 19		
	Égypte copte	salles B et C	salles B et C			salles B et C	
	Égypte romaine						

10

Répondez aux questions en écrivant les chiffres en toutes lettres.

1. Quand la salle 20 est-elle fermée ? La salle ....
2. Quand la salle 3 est-elle ouverte ? La salle ....
3. Quand la salle 27 est-elle ouverte ? La salle ....
4. Quand la salle 17 est-elle fermée ? La salle ....
5. Quand la salle 15 est-elle ouverte ? La salle ....
6. Quand la salle 22 est-elle ouverte ? La salle ....
7. Quand la salle 26 est-elle fermée ? La salle ....

2 Complétez ce dialogue avec les numéros des salles en toutes lettres.

- Allô, c'est bien le Musée du Louvre ?

....

- Je voudrais connaître le jour de fermeture de la salle 19 du département Antiquités égyptiennes durant la semaine.

La salle ....

- Ah ! c'est dommage ! C'est justement mon jour de congé. Et la salle 28 est ouverte ce jour-là ?

- Oui , la salle ....

- Je peux visiter aussi la salle 11 ?

- Non, la salle ....

- Je n'ai pas de chance, mais la salle 25 est ouverte ?

- Oui, la salle ....

- Bien merci et au revoir Madame.

Compréhension écrite

DELF 1 **Guillaume et Paul sortent du compartiment des antiquités égyptiennes. Ils commentent leur visite.**

Guillaume : Alors tu as aimé ?

Paul : Bof ! Comme ci, comme ça !

Guillaume : Moi, j'ai adoré ! Les sarcophages sont magnifiques.

Paul : Oui, ils sont beaux !

Guillaume : Et la momie du général Toukanis ! Je la trouve géniale !

Paul : Ah non ! Elle ne me plaît pas du tout. Je préfère Toutankhamon.

Guillaume : Et la statue de la déesse Bastet ?

Paul : Bof ! Elle n'a rien d'exceptionnel ! J'aime mieux celle du prêtre de la déesse Bastet, il y a des formules magiques très intéressantes.

Guillaume : C'est vrai, c'est hyper intéressant ! Tu te rends compte ce Champollion ! Il est génial, tu ne trouves pas ?

Paul : Oui, je l'admire beaucoup !

Dites s'ils aiment.

	Paul			Guillaume		
	un peu	pas du tout	beaucoup	un peu	pas du tout	beaucoup
la visite						
la momie du général Toukanis						
la statue de la déesse Bastet						
la statue du prêtre de la déesse						
Champollion						

Enrichissez votre vocabulaire

1 **Relevez dans ce chapitre tous les mots appartenant au champ lexical des études et mettez-les dans les colonnes.**

verbes	substantifs
j'écris (écrire).................	*la lecture*...........................
....	....
....	....
....	....
....	....

Puis répondez aux devinettes.

Exemple : *On le fait avec un stylo et une feuille : on écrit.*

Elle peut être intéressante, ennuyeuse, elle nous fait découvrir des lieux inconnus : la lecture.

1. C'est l'étude de l'Égypte ancienne, c'est ....

2. On les fait à la maison, ce sont les professeurs qui les donnent, ce sont les ....

3. Quand on le fait, on ne se repose pas : qu'est-ce qu'on fait ? ....

4. Il travaille dans un lycée ou dans un collège, c'est le ....

5. Elle nous apprend les événements passés, les dates, les guerres..., c'est ....

6. C'est ce qu'écrivent les habitants de l'Égypte ancienne, ce sont des ....

2 **Les définitions vous aideront à compléter la grille.**

1. A l'intérieur, il y a de beaux tableaux, de belles statues.

2. Il est plus important qu'un lieutenant et c'est le grade de Toukanis.

3. C'est l'écriture égyptienne.

4. On y va pour voir des films.

A. C'est une tombe égyptienne.

B. Guillaume va la voir au musée du Louvre.

C. C'est un cercueil de pierre.

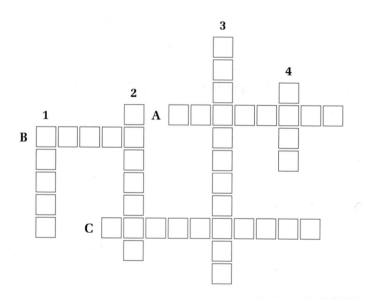

CHAPITRE 2

LA MALÉDICTION

Guillaume se met à rire.

« Ah, ah, ah, une malédiction !

– Oui, regarde Guillaume ! Une malédiction...

– Oh là là, tu es en train de devenir tout pâle [1] ! Eh... Paul, tu ne vas pas croire à ces histoires ? ? ? Ce que tu peux être bête [2] !

– Je veux rentrer à la maison, je ne me sens pas bien.

Sur le chemin du retour, une longue limousine noire apparaît au coin d'une rue. Arrivée à la hauteur des deux camarades, elle ralentit... La vitre du conducteur s'abaisse..., une forme blanche est au volant.

– Guillaume attention ! La voiture !

– Quoi ? Quelle voiture ?

Tout à coup la limousine accélère, Guillaume qui se trouve trop près de la chaussée [3] tombe.

---

1. **pâle** : qui n'a plus de couleur.
2. **bête** : stupide.
3. **la chaussée** : la partie de la rue réservée aux voitures.

– Tu t'es fait mal ? demande Paul, inquiet.

Guillaume se relève et se touche la tête.

– Non, je crois que ça va.

– Tu sais, Guillaume, je commence à avoir peur. La malédiction, c'est peut-être vrai.

– Arrête de penser à ça ! Tu deviens ennuyeux.

– Tu as peut-être raison...

Les deux amis reprennent leur promenade et bavardent tranquillement. Soudain, un vent très violent se lève. Paul et Guillaume se mettent à courir pour aller s'abriter [1] sous un porche.

– Eh bien, tu parles d'une tempête ! fait Guillaume.

– C'est vraiment étrange. J'ai du sable dans les cheveux !

Un bruit terrible les fait sursauter [2] : un pot de fleurs [3] vient de tomber d'un balcon, il s'écrase aux pieds de Paul.

– Ouf [4] ! dit Paul, heureusement que le pot ne nous est pas tombé sur la tête.

Instinctivement il lève la tête :

– Guillaume, regarde sur le balcon, le chat !

– Le chat ? C'est sûrement la déesse Bastet [5] ! dit ironiquement Guillaume.

– Tu vois, j'en suis sûr maintenant, la voiture, le sable, le pot de fleurs, le chat, c'est trop ! C'est la malédiction de Thoukanis... Qu'est-ce qui va nous arriver encore ? »

1. **s'abriter** : se mettre sous quelque chose pour se protéger.
2. **sursauter** : avoir un mouvement brusque, souvent provoqué par la peur.
3. **un pot de fleurs** : un récipient rempli de terre dans lequel on fait pousser des fleurs.
4. **ouf !** : expression qui traduit le soulagement.
5. **la déesse Bastet** : déesse égyptienne à tête de chat.

Compréhension orale

DELF **1** **Écoutez bien le deuxième chapitre et ne regardez pas le texte écrit puis répondez aux questions.**

1. Qui devient pâle ? Pourquoi ?

....

2. Qui tombe ? Pourquoi ?

....

3. Qui est inquiet ? Pourquoi ?

....

4. Qui va s'abriter sous un porche ? Pourquoi ?

....

5. Qui a du sable dans les cheveux ? Pourquoi ?

....

6. Qui voit un chat sur le balcon ? Pourquoi ?

....

7. Qui a peur de la malédiction ? Pourquoi ?

....

2 **Écoutez et complétez les mots suivants avec « a » ou « oi ».**

a. Une v.....ture n.....re p.....sse à côté de Guillaume.

b. Un ch.....t est sur le b.....lcon du tr.....sième ét.....ge.

c. Les deux .....mis b.....v.....rdent.

d. Je cr.....s qu'il ..... m.....l.

Production écrite

DELF **1** **Remettez de l'ordre dans les séquences suivantes et racontez.**

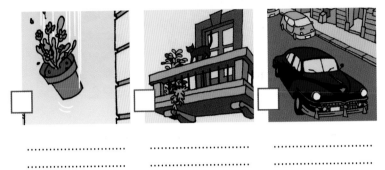

....
....

Grammaire

Les gallicismes

*Tu es **en train de devenir** tout pâle !*
*Le pot de fleurs **vient de s'écraser**.*
*Qu'est-ce qui **va** nous **arriver** ?*

- On emploie la forme « être en train de + infinitif » pour une action au présent, qui dure :
  *Les enfants sont **en train de parler**.* (ils parlent maintenant)

- On emploie la forme « venir de + infinitif » pour une action qui appartient au passé récent :
  *Il **vient de partir**.* (il est parti il y a quelques minutes)

- On emploie la forme « aller + infinitif » pour une action future (on trouve aussi «être sur le point de») :
  *Vous **allez faire** cet exercice.*

1 Regardez bien ces dessins et faites 3 phrases en utilisant les formes que vous venez d'étudier : *venir de, être en train de, aller...*

....
....

Enrichissez votre vocabulaire

1 Mettez ces mots à leur place.

le volant	la portière	la vitre	la roue	le coffre
la ceinture de sécurité		le moteur	les phares	

d. ....

f. ....

a. ....

b. ....

e. ....

c. ....

g. ....

h. ....

2 Voici de courts dialogues. Complétez-les avec les mots suivants.

> Panneau   doubles   vitre   sens interdit
> camion   doubler   ceinture de sécurité
> interdit   climatisation   permis de conduire

1. - Bonjour Monsieur, votre .... s'il vous plaît !
   - Bonjour, mais... je.. je n'ai pas mon .... Je l'ai laissé chez moi.

2. - Dis. Tu vois le .... là-bas ?
   - Oui, pourquoi ?
   - Je n'arrive pas à voir ce que c'est !
   - C'est un ....
   - Ah voilà pourquoi on me fait des appels de phare !

3. - Mets la .... en route, j'ai trop chaud !
   - Non, ce n'est pas bon pour la santé, ouvre plutôt la ....

4. - Les gendarmes ! Mets vite ta .... !
   - Trop tard, ils nous ont vus !

5. - Alors tu .... ce .... Il roule trop lentement. On ne sera pas à Lyon avant 10 heures !
   - Je ne peux pas, tu sais bien qu'il est .... de .... s'il n'y a pas de visibilité.

Production orale

DELF **1** Rétablissez l'ordre des répliques de ces minis dialogues.

1. Dans la rue
   a. ☐ On appelle les pompiers ?
   b. ☐ Oh ! Regarde Denis, le petit chat sur l'arbre !
   c. ☐ Oui, tu as ton portable ? J'ai oublié le mien !
   d. ☐ Pauvre petit minou ! Il est si mignon.

2. Dans la rue

   a. ☐ Non Lucien ne traverse pas ! C'est dangereux !

   b. ☐ Attention, voilà une voiture qui arrive !

   c. ☐ Il n'y a pas de voiture, je peux traverser.

   d. ☐ Mais non elle tourne à gauche !

   e. ☐ Maman, maman ! Regarde dans la vitrine, il y a un super ordinateur !

Détente

1 **Vous connaissez les dominos ? Mettez dans chaque groupe la syllabe qui manque et qui vous permet d'obtenir deux mots ; écrivez ensuite les mots que vous avez formés. Pour vous aider, nous vous donnons les syllabes manquantes dans le désordre.**

LE   RE   CHE   BE   CHE   CON

POR	
	VEU

....
....

PA	
	VER

....
....

RI	
	TOUR

....
....

BLAN	
	MIN

....
....

TOM	
	TE

....
....

BAL	
	TENT

....
....

CHAPITRE 3

GUILLAUME ET LA MOMIE

Guillaume est seul dans sa chambre, il lit un livre, tout à coup un bruit... BADABOUMMM ! ! ! ! ! !

« Eh ! Qu'est-ce qu'il y a ? Il y a quelqu'un ? demande-t-il.

Mais le couloir est vide. Pourtant, le bruit continue. Puis du fond de l'armoire, on entend une sorte de plainte [1] : aaah...

– Qu'est-ce que c'est ?

Guillaume commence à s'inquiéter et à avoir peur... Il ferme les yeux... Il sent un vent chaud sur son visage...

---

1. **une plainte** : un cri sourd continu.

Puis tout à coup :

— Mon Dieu, la momie !

— Pourquoi as-tu dérangé [1] mon sommeil ?

— Je... je n'ai rien dérangé... je... euh...

— Si, tu as lu le hiéroglyphe, la malédiction va te frapper !

— Mais enfin, je... je n'ai rien fait !

— Tu m'as réveillé et tu seras puni.

— Non... Je vous en prie !

— Rien à faire !

— Général, je ferai tout ce que vous voulez, mais ne me tuez [2] pas...

— Tout, vraiment tout ?...

Dans la rue... Guillaume marche très vite dans le noir.

— Qu'est-ce que je vais faire maintenant ? se dit-il.

Il arrive chez Paul et frappe à sa fenêtre, il l'appelle :

— Paul ! Eh Paul ! Réveille-toi !

Paul apparaît à la fenêtre :

— Tu es fou, tu vas réveiller tout le monde, qu'est-ce que tu veux ?

— Viens avec moi, c'est une question de vie ou de mort...

Quelques minutes plus tard, Guillaume et Paul marchent dans la rue, il fait nuit. On entend leurs pas résonner dans

---

1. **dérangé** : ici interrompu, arrêté.
2. **tuer** : faire mourir quelqu'un de mort violente.

le silence. Ils arrivent devant la pyramide du Louvre.

– Bon Guillaume, comment tu veux entrer dans le musée ?

– Je ne sais pas. On peut casser un carreau [1] ?

– Avec quoi ?

– Avec ça !

Guillaume a une barre de fer à la main.

– On y va ?

– Tu es fou, l'alarme va sonner.

– Tant pis, on n'a pas le temps. Le Général a été très clair, dans une heure, il sera trop tard. »

---

1. **casser un carreau** : rompre une vitre.

Compréhension orale

DELF 1 **Écoutez l'enregistrement et cochez les bonnes réponses.**

1. La momie

    a. ☐ est très heureuse.

    b. ☐ veut punir Guillaume.

    c. ☐ demande à Guillaume de lui donner de l'or.

2. Guillaume

    a. ☐ commence à avoir peur.

    b. ☐ entend de la musique.

    c. ☐ va chez Paul.

3. Paul

    a. ☐ est en train de regarder la télévision quand Guillaume arrive.

    b. ☐ est sourd.

    c. ☐ demande à Guillaume de faire moins de bruit.

2 **Écoutez les mots suivants et retrouvez le son [ɥi] ou le son [wa].**

	[ɥi]	[wa]
1. bruit	☐	☐
2. couloir	☐	☐
3. armoire	☐	☐
4. avoir	☐	☐
5. nuit	☐	☐
6. toi	☐	☐
7. quoi	☐	☐
8. pourquoi	☐	☐

3 Écoutez et complétez les mots suivants avec « an », « am », « en », « em » ou bien « on ».

1. ch.....bre

2. f.....d

3. m.....

4. pourt.....t

5. on .....t.....d

6. tu as dér.....gé

7. vraim.....t

8. m.....de

9. comm.....t

10. t.....ps

11. d.....s

12. .....trer

Production écrite

DELF 1 Classez les séquences suivantes dans l'ordre chronologique.

a. ☐ Paul est au balcon.

b. ☐ Guillaume parle avec la momie.

c. ☐ Guillaume est dans la rue.

Puis racontez l'épisode avec vos propres mots.

Grammaire

L'indéfini On

On *peut casser un carreau.*   **On** *y va ?*

Le pronom indéfini **on** est toujours suivi d'un verbe à la troisième personne du singulier. Il remplace souvent le pronom **nous**. Il désigne aussi un sujet collectif vague et indéfini.

1 Relevez dans ce chapitre tous les verbes précédés du sujet *on* et remplacez-le par le pronom *nous*.

2 Remplacez *les gens* par *on*.

1. Les gens regardent les actualités à la télévision.

....

2. Les gens croient souvent aux malédictions.

....

3. Les gens conduisent trop vite.

....

4. Les gens aiment beaucoup Paris.

....

5. Les gens ont peur des attentats.

....

6. Les gens vont au cinéma surtout le samedi soir.

....

Il y a

Qu'est-ce qu'il y a ? Il y a quelqu'un ?

Il s'agit d'une forme impersonnelle qui ne s'emploie qu'à la troisième personne du singulier.
Il y a une nouvelle momie au Louvre.
Il y a des enfants qui veulent visiter le Louvre.

Compréhension écrite et expression orale

DELF 1 Regardez cette publicité.

1. Quel est l'objet de la publicité ?
2. Décrivez l'image.
3. Vous aimez cette publicité ? Pourquoi ?
4. Avec votre camarade, inventez un dialogue : vous vous installez à la terrasse d'un café et vous demandez un thé au citron. Le garçon répond qu'il n'y a plus de citron. Vous lui demandez du lait. Mais, il n'y a plus de lait. Alors vous décidez de partir. Le garçon vous propose un gâteau au chocolat. Vous acceptez.

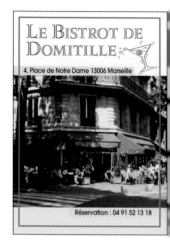

LE BISTROT DE DOMITILLE
4, Place de Notre Dame 13006 Marseille

Réservation : 04 91 52 13 18

Enrichissez votre vocabulaire

1 Trouvez la solution de ces devinettes.

Exemple : *On le fait dans la rue, chez soi, et on met toujours un pied devant l'autre pour le faire : on marche.*

1. On le fait avec ses yeux, pour des livres, des journaux, des magazines, des revues : on ....

2. On le fait quand on n'est pas le bienvenu : on ....

3. On le fait en criant pour attirer l'attention de quelqu'un : on ....

4. On le fait quand on est parvenu à destination : on ....

5. On le fait quand on franchit une porte : on ....

2 **Les définitions vous aideront à compléter la grille.**

1. Bruit produit quand on marche.
2. Meuble où on met ses vêtements.
3. Ouverture dans le mur qui sert
   à faire passer la lumière dans une pièce.

A. Contraire de blanc.
B. On l'achète dans une librairie.
C. Passage qui permet
   d'aller d'une pièce
   à une autre.
D. Vitre d'une
   fenêtre.

PROJET INTERNET

Pour en savoir plus sur le musée du Louvre à Paris, connectez-vous au site officiel www.louvre.fr, **cliquez sur Histoire du Louvre et répondez aux questions.**

1. Où se situe le Louvre ?
2. À quelle époque a été construit le palais du Louvre ?
3. Quand a été fondé le musée du Louvre ?
4. Combien de collections rassemble le musée du Louvre ? Citez-les.
5. Qui a projeté le « Grand Louvre » ? De quoi s'agit-il ?
6. Cliquez sur Atlas et lancez une recherche sur une œuvre
   d'art de votre choix, puis décrivez-la.

PROJET

L'Égyptologie

Le père de l'Égyptologie française est Champollion (1790-1832).Tout jeune, il se passionne pour l'étude des écritures égyptiennes. En 1821, il arrive à Philac et étudie le texte d'un obélisque pour comprendre les hiéroglyphes.

Le Louvre et l'Égyptologie

La Pierre de Rosette.

Intérieur du Musée du Louvre

En 1827, sous Charles X, Champollion, travaille pour le Louvre et inaugure le département des Antiquités égyptiennes au public. En 1997, ce département, fermé pendant trois ans, ouvre ses portes avec de nouveaux chefs-d'œuvre. Vous pouvez y admirer des expositions, des collections de l'Égypte antique mais aussi de l'Égypte copte et romaine.

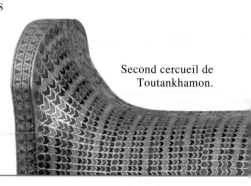

Second cercueil de Toutankhamon.

Sarcophage
d'Imeneminet
(cuve, couvercle et
intérieur de cuve).

Au Louvre, on trouve aussi les statues d'un Chat assis et de Padimahès, prêtre de Bastet. Le chat est adoré en Égypte. La déesse Bastet, représentée par un chat, est très célèbre. Ses prêtres sont nombreux.

Les momies et les malédictions

Masque de la momie de Toutankhamon.

Avant Jésus Christ, le culte des morts est fondamental en Égypte.

Les Égyptiens pensent que les morts continuent à manger et à s'habiller, voilà pourquoi on laisse de la nourriture, des objets de la vie quotidienne et des bijoux à côté des momies. Pour protéger ces trésors, des architectes construisent des labyrinthes et des pièges

dans les pyramides, ainsi les profanateurs de tombes risquent de mourir : voilà pourquoi naît la légende de la malédiction des momies.

Représentation du processus de momification.

Production écrite et orale

DELF **1** **Choisissez une photo et décrivez-la.**

Statue de Padimahès, prêtre de Bastet, couverte de formules magiques
4ème siècle avant J.-C.
Grauwacke
H 67,7 cm

Chat assis
Vers 700-600 avant J.-C.
Bronze, yeux cerclés
de verre bleu
H 33 cm ; L 25 cm

DELF **2** **Allez-vous souvent au musée ? Qu'est-ce que vous aimez visiter ? Si vous n'y allez pas, dites pourquoi.**

DELF **3** **Vous êtes allé au Louvre visiter le département égyptien. Vous racontez votre visite à un camarade et vous l'invitez à y aller avec vous le dimanche suivant (60 mots minimum).**

CHAPITRE 4

CATASTROPHES !

a police arrive.

« Ah, je les tiens, chef ! crie un policier. Ces petits voyous [1] !

Au commissariat :

– Pourquoi vous avez fait cela ? demande le commissaire.

– On ne peut pas répondre mais c'est une question de vie ou de mort, on doit entrer dans le Louvre, répond Guillaume un peu nerveux.

– C'est grave ce que vous avez fait ! Je suis obligé d'appeler vos parents.

Un peu plus tard, les parents arrivent.

– Nous sommes désolés, commissaire.

– Heureusement, la pyramide est solide. Mais, c'est très grave ce qu'ils ont fait, ils seront appelés au tribunal. Entre-temps, surveillez-les.

---

1. **un voyou** : un jeune délinquant.

— Maintenant il est trop tard, dit Guillaume désespéré en regardant sa montre. Les pires [1] malheurs vont nous arriver. Chez Paul...

— Mais pourquoi tu as fait ça ? demande le père de Paul. Tu as entendu, on va nous convoquer au tribunal, mon Dieu, c'est une catastrophe ! ! ! !

— Non, la catastrophe, c'est pour bientôt, dit Paul.

Ses parents, fatigués [2], vont se coucher, mais lui, il reste dans le salon, pensif.

1. **les pires** : les plus mauvais.
2. **fatigués** : qui n'en peuvent plus, qui n'ont plus de force.

Peu après, on entend une sirène de pompiers PIN-PON, PIN-PON, PIN-PON. Dans la rue, il y a des gens affolés [1].

– Qu'est-ce qui s'est passé ? demande un monsieur.

– Une explosion... c'est terrible !, s'écrie une vieille dame.

La voiture des pompiers s'arrête. On voit Paul et ses parents assis sur le trottoir [2]. Ils sont en pyjama.

– Vous êtes blessés [3] ? demande un pompier.

– Non, nous n'avons rien et heureusement l'explosion n'a pas été trop violente. Il n'y a que la chambre de notre fils qui est endommagée.

– Vous savez ce qui a provoqué l'explosion ?

– Non, je ne comprends pas », dit le père de Paul.

Dans la chambre, les pompiers retrouvent un bec Bunsen [4] et une éprouvette.

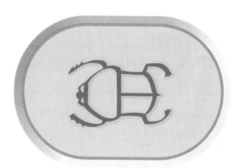

1. **affolés** : paniqués.
2. **le trottoir** : la partie de la rue réservée aux piétons.
3. **blesser** : causer une douleur, faire mal.
4. **un bec Bunsen** : une sorte de petit fourneau que l'on utilise pour les expériences de chimie.

Compréhension orale

DELF **1** **Écoutez l'enregistrement et cochez les bonnes réponses.**

1. Le commissaire

    a. ☐ demande à Guillaume pourquoi ils ont fait cela.

    b. ☐ demande à Guillaume pourquoi il est nerveux.

    c. ☐ doit appeler le frère de Paul.

2. Guillaume

    a. ☐ ne peut pas répondre au commissaire.

    b. ☐ demande pardon au Commissaire.

    c. ☐ insulte le commissaire.

3. Le père de Paul

    a. ☐ est inquiet parce qu'il est convoqué au tribunal.

    b. ☐ est en colère parce que Paul ne demande pas pardon.

    c. ☐ va se coucher.

2 **Écoutez et complétez avec « an » ou « en » et « on » ou « om ».**

1. L'explosi..... est viol.....te.

2. Les par.....ts s.....t sur le trottoir qu.....d les p.....piers arrivent.

3. Il .....t.....d du bruit dans sa chambre.

4. Vous posez trop de questi.....s, je ne veux pas rép.....dre.

5. Il regarde sa m.....tre avec impati.....ce.

6. Les g.....s s.....t en pyjama.

Compréhension écrite

DELF **1** **Remettez dans l'ordre les séquences suivantes et racontez l'épisode.**

a. ☐   11 heures : Guillaume et Paul au commissariat

b. ☐   Minuit : les parents, Guillaume et Paul, le commissaire

c. ☐   10h30 : la police, Guillaume et Paul devant le Louvre

d. ☐   Dans la nuit : une explosion

e. ☐   10 heures : Guillaume et Paul au Louvre

Grammaire

Pourquoi ? Parce que !

■ Quand on pose une question, on utilise **pourquoi**
  − au style direct :
    Pourquoi avez-vous fait cela ?
  − et au style indirect :
    Dites-moi **pourquoi** *vous avez fait cela !*

■ Quand on donne la réponse, on emploie **parce que** :
  Nous l'avons fait **parce que** *nous avons eu peur !*

1 **Complétez ce dialogue avec *pourquoi* ou *parce que*.**

Le commissaire interroge Paul :

-   .... tu as peur ?

-   .... la momie est dangereuse.

-   .... tu crois à ces superstitions ?

-   .... j'ai lu le hiéroglyphe sur la momie.

- .... tu as écouté Guillaume ?
- .... il a toujours raison.
- .... tu es entré au Louvre ?
- .... je veux aider la Momie.
- .... tu veux aider la Momie ?
- .... elle doit rentrer chez elle.

2 **Et maintenant, faites la même chose au discours indirect.**

Le commissaire interroge Paul et lui demande il
a peur. Paul dit que c'est .... la momie est
dangereuse. Le commissaire est exaspéré et lui demande
.... il croit à ces superstitions.

À vous de continuer.

....
....
....
....
....

Enrichissez votre vocabulaire

1 **Voici des mots du chapitre. Certains ont un rapport avec la
police et les pompiers. Lesquels ? Réécrivez-les.**

chef	parents	police	policier
commissariat	commissaire	tribunal	sirène
chambre	les pompiers	rue	gens	explosion
pyramide	violente	endommagée	

Production orale

1 Voici des vignettes, décrivez-les et utilisez les onomatopées suivantes à l'intérieur de votre description.

PIN-PON ! PIN-PON !   VROUM !   DRING !
BOUM !   TOC TOC !   PSCHITT !

2 Le commissaire interroge Guillaume. Trouvez la réponse pour chaque question.

1. ☐ – Alors, pourquoi veux-tu entrer dans le Louvre ?
2. ☐ – Quelle momie ? Qu'est-ce que tu racontes !
3. ☐ – Mais tu te moques de moi ! J'appelle tes parents !
4. ☐ – Pourquoi je ne dois pas les appeler ?

a. – Non, ne les appelez pas, s'il vous plaît !
b. – Parce que la momie me l'a demandé.
c. – Parce qu'ils vont me punir ! Et la momie va se mettre en colère.
d. – Celle du musée ! La momie du général Thoukanis !

42

Compréhension écrite

DELF 1 **Lisez cet article. Mettez une croix devant les propos où le journaliste intervient avec un jugement.**

1. ☐ Et on dit que les jeunes n'aiment rien !

2. ☐ Hier soir, la police a arrêté deux jeunes adolescents.

3. ☐ Ils ont voulu entrer au Louvre coûte que coûte.

4. ☐ Ils fréquentent la sixième au collège Henri IV.

5. ☐ Leur professeur d'histoire leur a demandé de se documenter sur l'Égypte antique.

6. ☐ Et nos deux lascars [1] ont tout simplement décidé de dévaliser le Louvre ! C'est intelligent, n'est-ce-pas ?

7. ☐ Eh oui, la culture ne paie pas toujours, ils vont devoir se présenter au tribunal ! Décidément, rien n'arrête la jeunesse !

1. **lascar** : ici, jeune garçon qui réussit à se sortir de situations difficiles, qui se débrouille, voyou.

Détente

1 **Avec ces syllabes vous pouvez former 7 mots : ils sont tous dans le chapitre.**

MI	PA	DE	MON	CIER	TOIR
PO	PIER	BRE	LI	PY	CHAM
RA	POM	TRE	TROT	RENT	

CHAM < < BRE

....

....

....

CHAPITRE 5

LA MOMIE REVIENT

 Chez Guillaume.

« Maman, maman, viens vite ! ! ! !

– Qu'est-ce qu'il y a Guillaume ? Qu'est-ce que tu as ?

– Je suis malade, j'ai mal au ventre, j'ai mal à la tête.

Elle touche son front :

– En effet, tu es tout brûlant [1]. Tu as mal où exactement ?

– Ici, dit Guillaume en se touchant le côté droit.

– Jacques, réveille-toi, il faut emmener Guillaume à l'hôpital, je pense qu'il a une crise d'appendicite.

– C'est le comble [2] ! Après le commissariat, maintenant l'hôpital ! Qu'est-ce qui va nous arriver encore ?

---

1. **brûlant** : très chaud, ici Guillaume est tout brûlant parce qu'il a de la fièvre.
2. **c'est le comble !** : exclamation pour dire qu'il n'existe rien de plus terrible que ce qui arrive.

À l'hôpital.

Un chirurgien est en train d'examiner Guillaume.

– C'est grave docteur ? demande la mère de Guillaume.

– C'est bien une appendicite. Il faut opérer tout de suite.

Deux heures plus tard.

– Alors docteur, comment va-t-il ? demande sa mère.

– Tout s'est bien passé.

– Mais pourquoi cette crise ?

– Il a peut-être mangé trop de chocolat ? !... ah ah ah ! dit le chirurgien en riant.

– On peut le voir ?

– Non pas encore, il est en salle de réveil [1].

Dans la salle de réveil.

Guillaume est en train de se réveiller. L'anesthésiste est à côté de lui, il porte un masque.

– Ah ! ! ! ! La momie ! ! ! ! Elle va me tuer !

– Arrêtez, vous allez vous faire mal !

– Au secours, la momie...

– Il délire complètement... je vais appeler l'infirmier.

L'infirmier arrive.

– Au secours, maintenant, il y a deux momies ! »

Guillaume veut se lever. L'infirmier lui fait une piqûre, il se calme.

---

1. **la salle de réveil** : il s'agit d'une salle où l'anesthésiste surveille la personne qui vient d'être opérée jusqu'à ce qu'elle se réveille.

Compréhension orale

DELF 1 **Écoutez et complétez le dialogue.**

Chez Guillaume.

« ....

- Qu'est-ce qu'il y a Guillaume ? Qu'est-ce que tu as ? »

- ....

Elle touche son front :

- .... ?

« - Ici, dit Guillaume en se touchant le côté droit.

- .... je pense qu'il a une crise d'appendicite.

- C'est le comble ! Après le commissariat, maintenant l'hôpital ! »

2 **Écoutez les mots suivants et retrouvez le son [e] ou le son [ɛ].**

	[e]	[ɛ]		[e]	[ɛ]
1. j'ai	☐	☐	7. mère	☐	☐
2. tête	☐	☐	8. guéri	☐	☐
3. effet	☐	☐	9. manger	☐	☐
4. côté	☐	☐	10. tuer	☐	☐
5. réveille-toi	☐	☐	11. délire	☐	☐
6. opérer	☐	☐	12. il se lève	☐	☐

3 Écoutez bien et trouvez l'intrus.

☐ tu as   ☐ plus   ☐ elle touche   ☐ brûlant

Compréhension écrite

DELF **1** Lisez les notes du scénariste et aidez-le à construire cette scène (écrire au moins trois répliques par personne).

Personnages : la mère (inquiète), le chirurgien (amusé), Guillaume (terrorisé).

Lieu : à l'hôpital, dans le couloir qui porte à la salle d'opération.

Sujet : la mère demande des informations au chirurgien. Ce dernier répond par une plaisanterie. Guillaume se met à crier.

Puis enrichissez ce scénario en décrivant les lieux et les personnes.

le couloir de l'hôpital : ....

....

la mère : ....

....

le chirurgien : ....

....

Guillaume : ....

....

Grammaire

L'impératif

Viens vite !   Réveille-toi !

- C'est un mode qui sert à donner des ordres, il n'y a que trois personnes : la deuxième personne du singulier, la première et la deuxième personne du pluriel. On ne doit pas mettre le pronom personnel sujet devant le verbe.

Attends ! (forme affirmative)   *N'attends pas !* (forme négative)

Parle !   Ne parle pas !

(attention ! il n'y a pas de « s » à la deuxième personne du singulier des verbes du premier groupe)

- Les pronoms personnels compléments sont placés après le verbe à la forme affirmative et sont toniques pour les deux personnes du singulier **moi** et **toi.**

Réveille-toi !   mais   *Ne te réveille pas !*

Arrêtez-vous !   mais   *Ne vous arrêtez pas !*

1 **Transformez à l'impératif les phrases suivantes, puis mettez-les à la forme négative.**

Exemple : *Il faut parler au médecin.*
   - Parle au médecin !   - Parlez au médecin !
   - Ne parle pas au médecin !   - Ne parlez pas au médecin !

1. Il faut attendre le docteur.

....

2. Il faut réveiller Guillaume.

....

3. Il faut apporter un pyjama propre à Guillaume.

....

4. À l'hôpital, il faut éteindre la lumière à neuf heures du soir.

....

5. Il faut aller à l'infirmerie.

....

Production orale

DELF **1** **Lisez le document suivant. Préparez la présentation de ce texte en répondant aux questions.**

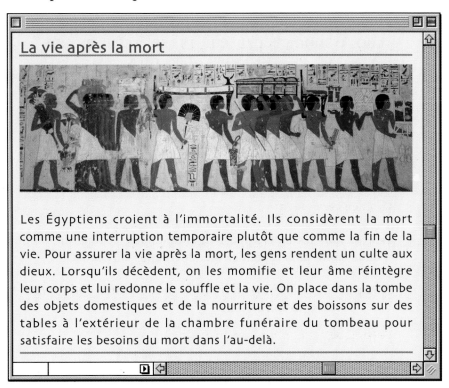

La vie après la mort

Les Égyptiens croient à l'immortalité. Ils considèrent la mort comme une interruption temporaire plutôt que comme la fin de la vie. Pour assurer la vie après la mort, les gens rendent un culte aux dieux. Lorsqu'ils décèdent, on les momifie et leur âme réintègre leur corps et lui redonne le souffle et la vie. On place dans la tombe des objets domestiques et de la nourriture et des boissons sur des tables à l'extérieur de la chambre funéraire du tombeau pour satisfaire les besoins du mort dans l'au-delà.

1. À quoi sert ce document ?

....

2. Où peut-on le lire ?

....

3. Qu'est-ce qu'on y apprend ?

....

4. Donnez votre opinion personnelle sur ce sujet.

....

Enrichissez votre vocabulaire

1 Voici des mots qu'il faut recomposer car on a mélangé les syllabes. Il y en a 7.

HÔ O DOC A CRI CHI IN SE TEUR PI RUR
NES FIR PE THE MIER RER GIEN TAL SISTE

HÔ⟨   ⟨PI⟨   ⟨TAL

....

....

....

2 Relevez tous les mots appartenant au champ lexical de l'hôpital et de la santé puis répondez aux devinettes suivantes.

Exemple : *Il opère souvent, il utilise des bistouris. Qui est-ce ?*
C'est le chirurgien.

1. Il s'occupe de la santé de ses patients. Qui est-ce ?
....

2. Il endort ses patients avant l'opération. Qui est-ce ?
....

3. Il s'occupe des personnes hospitalisées, il leur donne à manger et leur apporte le thermomètre. Qui est-ce ?
....

4. Elle se déclare sur le côté droit avec de fortes douleurs dans la jambe. Qu'est-ce que c'est ?..............................

5. Elle se trouve sur le cou, elle peut être lourde ou dans les nuages. Qu'est-ce que c'est ?..............................

6. Elle fait peur aux enfants car elle est souvent douloureuse mais elle guérit. Qu'est-ce que c'est ? ....

7. On le porte pour se cacher ou pour se protéger. Qu'est-ce que c'est ? ....

3 **Les définitions vous aideront à compléter la grille.**

1. Il est noir, au lait ou blanc et il est très bon.

2. Elle se trouve sur les épaules.

A. Il y a les intestins.

B. Il soigne et guérit les malades.

C. Il est au-dessus des sourcils.

D. Lieu où on va quand on est malade.

E. On le met sur le visage.

Production orale

DELF 1 **Est-ce que vous êtes souvent malade ? Combien de jours d'absence vous faites en un mois ? Généralement vous avez mal où ? Vous allez souvent chez votre médecin ? Vous avez déjà été opéré ? Quand vous êtes malade, qu'est-ce que vous aimez faire ou manger ?**

Compréhension et production écrite

DELF **1** **Lisez le document, cochez les réponses correctes et répondez aux questions.**

> ## CLINIQUES UNIVERSITAIRES SAINT-LUC
> ## HOSPITALISATION – DÉPARTEMENTS ET SERVICES
>
> L'École Escale propose aux enfants hospitalisés un encadrement pédagogique adapté.
>
> Les activités se poursuivent dans l'ensemble des unités de soins et lieux de traitement (hôpital de jour pédiatrique,...), en classe ou au chevet de ceux qui ne peuvent se déplacer.
>
> Les professeurs assurent une permanence complète les jours scolaires, aux niveaux maternel, primaire et secondaire ; l'enseignement est, bien entendu, gratuit.
>
> Comment communiquer avec un enfant, un copain hospitalisé ?
> Envoyez un mail en précisant ses nom, prénom et n° de chambre.

1. ☐ Il s'agit d'un texte narratif.
   ☐ Il s'agit d'un texte informatif.

2. ☐ Saint-Luc est le nom d'un hôpital.
   ☐ Saint-Luc est le nom d'une école.

3. Quel est le sujet de ce texte ?
   ....

4. Qui sont les élèves de l'École Escale ?
   ....

5. Les professeurs font des cours uniquement le dimanche ?
   ....

6. Envoyez un mail à un copain hospitalisé et précisez son nom, son prénom et le numéro de sa chambre.

CHAPITRE 6

LES ENNUIS[1] SONT FINIS

À l'hôpital.

« Oh Paul ! c'est gentil de venir me voir. Il y a eu une explosion chez toi. C'est terrible ! Et tu as vu ce qui m'est arrivé ? ! Je suis sûr que c'est la momie !

La mère de Guillaume entre dans la chambre.

– Qu'est-ce que c'est, cette histoire de momie ?

– Rien maman...

– Mais si, j'ai bien entendu, tu as dit : « je suis sûr que c'est la momie ».

– Non, ce n'est rien...

– Écoute Guillaume, tu peux bien me le dire !

– Eh bien voilà, il y a deux jours, nous sommes allés, Paul et moi, au Louvre voir la nouvelle momie. Cette

---

1. **les ennuis** : les événements qui ne sont pas plaisants, les préoccupations.

momie, c'est celle de Thoukanis, un général de Toutankhamon. Sur le sarcophage, on a trouvé un hiéroglyphe qui signifie « la malédiction pèse sur vous ».

– Mais enfin Guillaume, tu ne vas pas croire à cette légende !

– Maman, tu ne sais pas tout. La momie est venue dans ma chambre. Je l'ai vue, elle m'a averti : si je ne la ramène pas en Égypte, les pires malheurs vont nous arriver.

– Ah ! alors, je comprends pourquoi vous êtes allés au Louvre et que vous avez voulu y entrer la nuit. Mais pourquoi tu ne m'as rien dit ?

– Je n'ai pas voulu t'inquiéter. Regarde ce qui est arrivé : il y a eu une explosion chez Paul, on m'a opéré...

– Mais Guillaume ce sont des coïncidences !

– De bien curieuses coïncidences...

– Mais non voyons, Paul a fait des expériences dans sa chambre et c'est un produit chimique qui a provoqué l'explosion !

– Oui, c'est vrai. L'après-midi où nous sommes allés au Louvre, j'ai oublié d'enlever l'acide de l'éprouvette à côté du bec Bunsen que j'ai laissé allumé. Il y a eu une combustion et puis le reste, on le sait.

– D'accord, mais mon opération...

Quelques minutes plus tard le père de Guillaume entre dans la chambre.

– Lisez-ça ! La momie du général Thoukanis n'est pas authentique ! Il y a même quelqu'un qui s'est amusé à inventer une histoire de malédiction, ah ah ah !... Il faut être vraiment bête pour croire à des histoires pareilles... »

Compréhension orale

Écoutez l'enregistrement et cochez les bonnes réponses.

1. La mère de Guillaume

☐ sort de la chambre.

☐ entre dans la chambre.

☐ reste dans la chambre.

Elle demande à Guillaume

☐ s'il a vu la momie.

☐ s'il est avec la momie.

☐ une explication à propos de l'histoire de la momie.

Elle

☐ ne croit pas à cette légende.

☐ commence à avoir peur, il y a trop de coïncidences.

☐ demande à Guillaume de ne rien dire à personne.

2. Guillaume raconte à sa mère

☐ qui est la momie.

☐ ce que veut la momie.

☐ la stupidité de la momie.

Il ne croit pas

☐ à l'histoire de la momie.

☐ aux coïncidences.

☐ à l'immortalité des momies.

3. Paul

☐ a une explication rationnelle pour ce qui est arrivé.

☐ ne peut pas expliquer l'explosion.

☐ peut seulement constater que la momie a gagné.

Compréhension écrite

DELF 1 **Dites à quelles intentions correspondent les répliques suivantes.**

1. ☐ Non Guillaume, je ne peux pas croire à l'histoire de cette momie.
2. ☐ Et toi Papa, qu'est-ce que tu en penses ?
3. ☐ Moi, je suis sûr que la momie est venue dans ma chambre.
4. ☐ Vous ne devinerez jamais ce qu'il y a sur le journal !...
5. ☐ Je crois que ta mère a raison Guillaume, ce ne sont que des coïncidences.

a. approuver
b. donner son avis
c. demander l'avis de quelqu'un
d. contester
e. éveiller la curiosité

Grammaire

C'est / Il est

- **C'est** (**ce sont** au pluriel) est une forme qui s'appelle **présentatif** : on l'utilise quand on présente, quand on montre quelque chose ou quelqu'un.
  C'est mon ami ! C'est Guillaume ! C'est la momie !
  Ce sont mes amis ! Ce sont des coïncidences !

- Quand on veut parler des qualités d'une personne ou d'une chose, on emploie **il** (ou **elle**) **est**, **ils** (ou **elles**) **sont**.
  Elles sont sympathiques ; il est beau ; elle est grande.

Production orale

DELF **1** **Regardez bien les œuvres ou les objets égyptiens ci-dessous.**

Hippopotame. Moyen Empire
(2033-1710 avant J.-C.)

Grand sphinx
Trouvé à Tanis
Règne d'Amenemhat II
(vers 1898-1866 avant
J.-C., 12ème dynastie)

Chaise
18ème-19ème dynastie
(1550-1186 avant J.-C.)

Statue du dieu Horus
3ème Période Intermédiaire
(1069-664 avant J.-C.)

Cuiller en forme de nageuse tenant un canard
(18ème dynastie, vers 1400 avant J.-C.)

Puis pour chaque œuvre, répondez aux questions.

1. Qu'est-ce que c'est ?

....

2. Quelle est sa fonction ?

....

3. Décrivez l'objet.

....

4. Lequel de ces objets ou œuvres préférez-vous ? Dites pourquoi.

....

2 Voici des mots du chapitre. Certains ont un rapport avec le mystère, la légende. Lesquels ? Classez-les en trois groupes : adjectifs, substantifs, verbes.

terrible	malédiction	légende	malheur	explosion
gentil	histoire	produit	croire	chambre

Voici plusieurs dessins qui illustrent des situations. Certaines portent bonheur, d'autres portent malheur.
Pour chacune des vignettes, observez les dessins et préparez une histoire en répondant aux questions.

1. Qu'est-ce que c'est ou qui est-ce ?

2. Que sont-ils en train de faire ?

3. Qu'est-ce qui s'est passé avant ?

4. Qu'est-ce qui va arriver après ?

1

....

....

2

....

....

3

....

....

4

....

....

DELF 3 **Avec votre camarade, préparez les dialogues selon les situations suivantes.**

1. Vous êtes au lit car vous êtes malade. Un(e) camarade vient vous voir. Il (elle) raconte un événement qui s'est produit au lycée dans la salle des sciences. Il y a eu une explosion et les pompiers sont arrivés.

2. Vous êtes au musée du Louvre et vous visitez le département des antiquités égyptiennes, vous demandez des explications au guide qui vous répond.

3. Vous êtes la momie du général Toukanis, vous êtes en colère contre la personne qui a ouvert le sarcophage. Vous lui demandez des explications.

4 **Un journaliste interviewe le père de Paul après l'explosion ; complétez le dialogue.**

« Alors, qu'est-ce qui s'est passé ?

– Vous voyez ! Une !

– Les sont là !

– Oui, ils sont arrivés tout de suite !

– On dit que la a provoqué cette explosion, c'est vrai ?

– La ! C'est ridicule ! C'est mon fils ! Il a laissé une

à côté du bec Bunsen !

– Mais sur le de la vos enfants ont vu des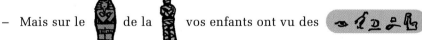

mystérieux !

– Assez ! Je ne veux plus entendre parler de ça ! »

Enrichissez votre vocabulaire

1 Voici des mots du chapitre mais les lettres sont dans le désordre. Retrouvez le mot juste qui correspond à la définition.

Une **dégenle** : c'est une histoire qui n'est pas vraie.

C'est une ....

Une **tépertouve** : c'est un tube en verre qui sert pour faire des expériences de chimie.

C'est une ....

Une **miome** : elle vient d'Égypte.

C'est une ....

Un **légénar** : c'est un militaire.

C'est un ....

Le **verolu** : c'est le plus grand musée de Paris.

C'est le ....

PROJET INTERNET

Lancez une recherche sur Internet, grâce aux moteurs google.fr ou Yahoo.fr, sur l'Égypte antique et moderne.

Toutankhamon

1. **Faites une recherche croisée des mots Toutankhamon et Karnak. (un conseil, cherchez aussi avec l'orthographe suivante : Tutankamon) Trouvez la photo de la statue du jeune pharaon puis répondez aux questions.**

   1. Comment est son nez ?
   2. A-t-il des bras ?
   3. Comment sont ses yeux ?
   4. Comment sont ses oreilles ?
   5. Qu'a-t-il sur la tête ?

2. **Faites une autre recherche sur l'histoire de Toutankhamon et dites si les affirmations suivantes sont vraies ou fausses.**

		V	F
1.	Le tombeau de Toutankhamon a été découvert par Howard Carter et par Lord Carnarvon.	☐	☐
2.	Le masque de Toutankhamon est en argent et incrusté de gros diamants.	☐	☐
3.	Les pharaons étaient les fils du dieu soleil Râ.	☐	☐
4.	Toutankhamon est mort à l'âge de 12 ans.	☐	☐
5.	Toutankhamon a régné pendant 10 ans.	☐	☐

3. **Recherchez des informations sur la tombe de Toutankhamon et faites-en la description. Pour vous aider, répondez aux questions.**

   1. Où se trouve le corridor ?
   2. Sur quoi donne-t-il ?
   3. Quelle pièce traverse-t-on pour accéder à la chambre funéraire ?
   4. Où se trouve la chambre du trésor ?

La déesse Bastet

1. **Lancez maintenant une recherche sur Bastet et dites si les affirmations suivantes sont correctes.**

   1. La déesse Bastet symbolise les aspects les plus protecteurs de la maternité.
   2. Elle a un corps d'homme.
   3. Elle a une tête de lion.
   4. Elle porte un sistre à la main gauche.
   5. Elle s'oppose à Sekhmet.

Le sphinx

1. **Lancez tout d'abord une recherche croisée sur la colonne de Pompée et le sphinx, puis une autre sur le sphinx et l'énigme d'Œdipe. Répondez ensuite aux questions.**

   1. Où se trouvent la colonne de Pompée et le Sphinx ?
   2. Que représente cette ville pour l'Égypte ?
   3. Quelle est la célèbre énigme du sphinx dans la mythologie ?
   4. Quelle est la bonne réponse à cette énigme ?
   5. Qui découvre la bonne solution ?
   6. Que lui arrive-t-il ensuite ?

Les divinités

1. Trouvez les caractéristiques de chaque divinité et associez les différents éléments entre eux.

Anubis	une tête de lion	cette divinité accompagne les rois morts
Sekhmet	une tête de vache	cette divinité symbolise la musique et la joie
Hathor	une tête de chacal	cette divinité symbolise l'agressivité et la destruction

Présentez ces trois divinités à vos camarades et dites quelle divinité vous plaît le plus et pourquoi.

Le Caire

1. Faites une recherche croisée TV 5 et le Caire et répondez aux questions sur ces personnages originaires du Caire.

1. Qui est Naghib Mahfouz ?
   - [ ] C'est un chanteur.
   - [ ] C'est un écrivain .
   - [ ] C'est un danseur.

2. Qui est Nabil Boutros ?
   - [ ] C'est un journaliste.
   - [ ] C'est un chanteur .
   - [ ] C'est un photographe.

3. Qui est Yousri Nasrallah ?
   - [ ] C'est un cinéaste.
   - [ ] C'est un chanteur.
   - [ ] C'est un danseur.

Relevez au moins trois noms de chanteurs égyptiens.

Test final

1. **Répondez aux questions qui suivent le fil de l'histoire ...**
   1. Qui est Guillaume ?
   2. Comment s'appelle son ami ?
   3. Où vont-ils ? Pourquoi ?
   4. Que lisent-ils sur le sarcophage de Toukanis ?
   5. Qui apparaît dans la chambre de Guillaume ?
   6. Que doit faire Guillaume ?
   7. Qui va-t-il chercher ?
   8. Que décide-t-il de faire ?
   9. Qui emmène les deux amis au commissariat ?
   10. Qu'arrive-t-il à Guillaume ?
   11. Qu'arrive-t-il à son ami ?
   12. Quelle est la conclusion de cette histoire ?

Un projet vidéo

Voilà quelques conseils et quelques indications pour réaliser un court-métrage.

Il faut tout d'abord se familiariser avec le langage cinématographique, puis découper les chapitres en intérieur ou extérieur, penser évidemment au décor, au jeu des acteurs et bien sûr choisir qui sera le caméraman, le script, le clapman, qui s'occupera de la lumière, etc.

Pour une familiarisation avec le langage cinématographique

Pour pouvoir comprendre les différentes séquences d'une bande vidéo, il faut avant tout connaître le langage cinématographique.

Ainsi, on parlera de plans, de séquences, de prises de vue et finalement de mouvement de l'appareil.

Pour les plans, il faut distinguer : le plan de grand ensemble, le plan de demi-ensemble, le plan moyen, le plan italien, le plan américain et le gros plan que vous trouverez illustrés ci-dessous.

Puisque l'objectif de la caméra se déplace, il y a différentes prises de vue possibles : si l'objectif se situe en hauteur par rapport à l'objet filmé, il y aura un effet de plongée, au contraire il y aura un effet de contre-plongée si l'objectif filme un personnage tout en haut d'un immeuble.

LE PLAN DE GRAND ENSEMBLE

LE PLAN DE DEMI-ENSEMBLE

LA MOMIE DU LOUVRE *au cinéma*

Lorsque les deux protagonistes, dans la même scène, sont montrés alternativement, il y aura un champ-contrechamp. On parlera de caméra subjective lorsqu'on découvrira la scène avec les yeux du protagoniste. Si la caméra reste immobile, on obtiendra un plan fixe ; par contre il y aura un panoramique lorsque l'objectif « balaiera » le champ visuel. Lorsque la caméra est placée sur des rails, il y aura un travelling qui peut être un travelling avant, arrière, latéral, subjectif, etc. Quant au zoom il permet de s'approcher ou de s'éloigner de l'objet à filmer.

LE PLAN MOYEN

LE PLAN ITALIEN

LE PLAN MOYEN

LE GROS PLAN

Aller retour

L

LA MOMIE DU LOUVRE *au cinéma*

Et maintenant passons à la réalisation.

Chapitre 1
Une visite au Louvre

Dans le premier chapitre, il y a deux personnages, deux intérieurs, le musée et un extérieur. Les deux personnages sont bien évidemment Guillaume et son ami Paul.

Première scène

La première scène se déroule dans la chambre de Guillaume. Guillaume est assis à son bureau, il est en train d'écrire. On utilise ici un plan fixe, la caméra étant positionnée sur un trépied. Il faut surveiller l'éclairage, faire attention aux contre-jours et surtout maquiller l'acteur. On prévoit une musique, genre bande de film de science-fiction, elle s'estompe petit à petit, puis on entend une voix-off qui provient d'une bande magnéto que l'élève a déjà enregistrée. Si vous voulez laisser un fond musical, faites attention à ce qu'il ne dérange pas la compréhension du texte.

Lecture voix-off

Paris, le 18 septembre
Bonjour, je m'appelle Guillaume Leclercq, j'ai quinze ans et demi. J'adore le ciné, la lecture, mais surtout l'égyptologie. Pour la première fois de ma vie, j'écris un journal. Je ne sais pas à qui raconter cette étrange aventure.
Voilà toute l'histoire…

Deuxième scène

Il y a deux intérieurs : la chambre de Guillaume et celle de Paul.
Puisqu'il serait à peu près impossible de tourner ces deux scènes
dans de vraies chambres, on peut conseiller d'inventer deux
coins dans une salle de classe avec deux bureaux légèrement
différents eux aussi. Bien entendu, il faut deux téléphones.

« Allô ! C'est toi Paul ?
– Oui, qui est à l'appareil ?
– C'est moi Guillaume, tu viens avec moi au Louvre ? Il y a une
nouvelle momie. On va la voir ?
– Euh…, je ne sais pas. J'ai des devoirs… Je travaille à une expérience
de chimie.
– Allez viens, aujourd'hui c'est gratuit.
– Bon d'accord, je viens.
– On se retrouve devant le musée à quatre heures ?
– Oui, à tout à l'heure. »

Pour le tournage de cette scène, soit on filme les deux
protagonistes l'un à côté de l'autre, soit on les filme l'un après
l'autre et on réalise durant le montage un fondu enchaîné.

Troisième scène

Il s'agit d'un extérieur. Il n'est pas dit que l'on doive
effectivement tourner devant un vrai musée, on peut tout aussi
bien le faire devant les portes du lycée. On demande à plusieurs
figurants d'intervenir et on peut inventer d'autres dialogues
entre les personnes qui font la queue pour entrer dans le musée.

LA MOMIE DU LOUVRE *au cinéma*

Au montage, on peut intercaler si on en a les moyens quelques plans de la Pyramide du Louvre à Paris.

Devant la pyramide du Louvre...

« Salut Paul !
– Salut Guillaume, on entre ?
– Oui, on va directement voir la momie ?
– Oui, bien sûr. »

Plan italien sur les deux protagonistes. Puis travelling subjectif jusqu'à l'endroit où se trouve la momie. Pour le décor, là aussi au montage, on peut intercaler des séquences sur l'art égyptien. On aménage une salle avec un sarcophage en carton réalisé par les élèves, en utilisant du papier doré et de la gouache pour Thoukanis ; les élèves s'inspireront des illustrations de leur livre d'art ou d'histoire. Les deux amis s'approchent du sarcophage. La caméra les suit tout d'abord de dos, on les voit se diriger vers Thoukanis. On filme ensuite Guillaume de face. Son visage exprime l'émerveillement.

« Regarde Paul, la voilà. C'est chouette, il n'y a pas beaucoup de monde. On peut la voir tranquillement. Incroyable, c'est absolument incroyable. Elle est aussi vieille que la momie de Toutankhamon, c'est le général Thoukanis. On raconte qu'elle porte malheur...
– Tiens, Guillaume, regarde, là sur le sarcophage...
– Quoi ? Je ne vois rien.
– Mais si là ! Ce hiéroglyphe ! Je l'ai déjà vu, je le reconnais, tu te souviens ? Notre prof d'histoire nous a dit qu'il signifie...
– Mais oui, tu as raison, ce hiéroglyphe... cela veut dire: « une malédiction pèse sur vous ! »

L'objectif se déplace et fait un zoom sur le hiéroglyphe.

Chapitre 2
La malédiction

On prévoit un intérieur et un extérieur.

L'intérieur, c'est celui du Louvre, donc il y a le même décor qu'à la fin du chapitre précédent.

Guillaume se met à rire.
« Ah, ah ah, une malédiction !
– Oui, regarde Guillaume ! Une malédiction...
– Oh là là, tu es en train de devenir tout pâle !
Eh... Paul, tu ne vas pas croire à ces histoires ? ? ? Ce que tu peux être bête !
– Je veux rentrer à la maison, je ne me sens pas bien. »

Ici, il y a des indications bien précises sur le jeu des acteurs, Guillaume qui se met à rire et Paul qui devient très pâle. Il faudrait faire tout d'abord des plans américains sur les deux acteurs, puis un champ-contrechamp avec les expressions des deux personnages.

Ensuite, il y a un extérieur : une rue. On peut filmer les deux jeunes gens qui s'approchent de l'objectif qui reste fixe. Évidemment, il sera difficile de filmer une limousine. On peut tout simplement commencer la séquence à partir du moment où Paul avertit Guillaume. La caméra encadre uniquement Paul qui a visiblement peur, puis Guillaume que l'on voit se retourner.

« Guillaume attention ! La voiture !
– Quoi ? Quelle voiture ?
– Derrière nous ! La limousine. »

LA MOMIE DU LOUVRE *au cinéma*

La caméra se déplace de nouveau sur Paul. On ne voit pas tomber Guillaume, on entend uniquement le bruit d'une voiture qui part en trombe.

Puis la caméra se déplace sur Guillaume qui est par terre. Paul essaie de le relever.

« Tu t'es fait mal ? demande Paul, inquiet.
Guillaume se relève et se touche la tête.
– Non je crois que ça va.
– Tu sais, Guillaume, je commence à avoir peur. La malédiction, c'est peut-être vrai.
– Arrête de penser à ça ! Tu deviens ennuyeux.
– Tu as peut-être raison... »

La caméra filme alors les deux amis qui s'éloignent. Changement de plan, on voit Guillaume et Paul s'approcher de l'objectif, on invente un dialogue entre eux. La caméra suit leur déplacement. Pour le vent, on peut réaliser un gros plan sur les deux amis et de l'extérieur, quelqu'un fait fonctionner un ventilateur. Quand Paul et Guillaume se mettent à courir la caméra les filme de dos, puis elle se déplace, plan moyen sur les deux jeunes garçons, on les voit de face.

Les deux amis reprennent leur promenade et bavardent tranquillement. Soudain, un vent très violent se lève. Paul et Guillaume se mettent à courir pour aller s'abriter sous un porche
« Eh bien, tu parles d'une tempête ! fait Guillaume.
– C'est vraiment étrange. J'ai du sable dans les cheveux !
Un bruit terrible les fait sursauter : un pot de fleurs vient de tomber d'un balcon, il s'écrase aux pieds de Paul. »

Le bruit est enregistré hors-champ. L'objectif zoome sur le pot de fleur cassé.

« Ouf, dit Paul, heureusement que le pot ne nous est pas tombé sur la tête.
Instinctivement il lève la tête :
– Guillaume, regarde sur le balcon, le chat...
– Le chat ? C'est sûrement la déesse Bastet ! dit ironiquement Guillaume.
– Tu vois, j'en suis sûr maintenant, la voiture, le sable, le pot de fleurs, le chat, c'est trop ! C'est la malédiction de Thoukanis... Qu'est-ce qui va nous arriver encore ? »

Là aussi, il faut suggérer plus que montrer, Paul lève la tête, la caméra le suit dans ce mouvement avec un gros plan sur lui. On voit son doigt indiquer le balcon... mais naturellement... pas de déesse.

Encore quelques indications pour réaliser les décors...

Pour le chapitre 3 « Guillaume et la Momie », si vous pouvez tourner dans une vraie chambre, cela serait l'idéal, mais vous pouvez reproduire une chambre dans une salle de classe en utilisant deux tables rapprochées l'une de l'autre pour faire le lit. Vous demandez à vos élèves d'amener des draps et des couvertures, on peut même inventer une table de chevet avec une boîte en carton recouverte de papier crépon marron sur lequel on a collé des rectangles pour former des tiroirs.

boîte en carton + papier crépon

Pour faire la momie, il suffit d'envelopper un élève avec du papier hygiénique blanc... ! Quant à l'hôpital, là aussi il faut de l'imagination ; il y a sûrement dans votre lycée ou collège une salle de chimie ou des toilettes carrelées avec des faïences blanches, c'est l'endroit rêvé pour y filmer la scène de l'hôpital !

Il est très important avant de commencer le tournage de nommer :
- les accessoiristes (ils se procureront les objets nécessaires au tournage)
- les décorateurs (ils réaliseront les meubles par exemple...)
- les techniciens de la lumière (ils se procureront des lampes halogènes pour le tournage à l'intérieur)
- les préposés à la musique (ils réaliseront une cassette avec les musiques qu'ils désirent mettre sur les images du film)
- les costumiers (ils feront la liste des « costumes » comme les bandes pour la momie, les blouses pour les infirmiers, le chirurgien, l'anesthésiste, etc.)
- le/la script qui vérifiera qu'il n'y ait pas d'incohérence d'une scène à l'autre
- le metteur en scène qui dirigera les opérations
- le caméraman
- le clapman qui écrira sur une ardoise le nom et le numéro de la scène que l'on doit tourner.

Il est aussi indispensable que tous les élèves soient concernés et impliqués dans la réalisation de ce film, car c'est avant tout un travail d'équipe.

Un tout dernier conseil, n'oubliez pas de tourner les scènes ayant les mêmes intérieurs l'une à la suite de l'autre, vous perdrez ainsi moins de temps.

Écrivez le générique, pour le montage, vous pouvez confier l'opération à un spécialiste. N'oubliez pas de dupliquer plusieurs fois les séquences que vous avez filmées... On ne sait jamais!